KNISTER y Kika Superbruja en...

Todo sobre los
delfines y las ballenas

Textos de Bettina Gutschalk
Ilustraciones de Birgit Rieger
y Thomas Müller

(B) **Bruño**

KNISTER
Nació en Wesel (Alemania) en 1952.
Escribe libros y también es un músico estupendo.
¡Siempre alocado, divertido e interesante!
Su color favorito: el multicolor.
Su comida favorita: los espaguetis (a cualquier hora del día).
Su principal afición: tocar en una banda de rock.
Su signo del horóscopo chino: la rana.
Su personaje más famoso: Kika Superbruja
Su página web: www.KNISTER.com

Bettina Gutschalk
Estudió Literatura Infantil y Juvenil y trabaja desde hace muchos
años como periodista y escritora. Es autora de libros de referencia
para niños y jóvenes, y también de novelas policíacas.

Birgit Rieger
Estudió Diseño Gráfico en la Escuela Superior de Bellas Artes de Berlín
y trabaja desde 1980 como ilustradora de libros infantiles y juveniles.
Las obras ilustradas por ella –en especial las de Kika Superbruja–
se han publicado en muchos países del mundo.

Thomas Müller
Nació en Döbeln (Alemania) en 1955, y estudió
en la Escuela Superior de Artes Gráficas y del Libro
de la ciudad también alemana de Leipzig.
Actualmente trabaja como ilustrador independiente.

Título original: *Hexe Lillis Sachwissen Delfine und Wale*
© Arena Verlag GmbH, Würzburg, 2009
Ilustraciones: Birgit Rieger y Thomas Müller

© Grupo Editorial Bruño S. L., 2009
Juan Ignacio Luca de Tena, 15; 28027 Madrid
Dirección Editorial: Trini Marull
Traducción: Mario Santos
Edición: Cristina González
Preimpresión: Equipo Bruño
ISBN: 978-84-216-8288-3

Contenidos

Queridos amigos y amigas de las ballenas:

Como Dani tenía ayer su primera clase de natación, pensé que podría pasarme la tarde leyendo tranquilamente, pero… ¡naranjas de la China! Dani dijo que le dolía la garganta y que no podía ir a la piscina. ¡Bah, lo que le pasaba en realidad es que le da miedo el agua!

Mamá le preparó un vaso de leche caliente y lo dejó viendo la tele bien tapadito con una manta.

Ponían un documental sobre el canto de las ballenas. Estaba claro que el plasta de Dani no tardaría en asomarse a mi cuarto para contarme todo lo que había aprendido en ese documental…

—¡La ballena es el único pez que canta debajo del agua! —dijo todo emocionado nada más entrar en mi habitación.

—Las ballenas no son peces, sino mamíferos, microbio —repliqué yo.

—¡Pues claro que son peces! No andan,
ni vuelan... ¡Nadan en el mar!

—Aun así, no son peces —insistí yo.

—¡No tienes ni idea! –respondió él, muy chulito—.
Tú no has visto un pez-ballena en tu vida...

Yo respiré hondo. ¡Ese mocoso siempre consigue
sacarme de mis casillas!

Y de pronto tuve una idea...

—Tú estás hablando de peces-ballena, no de ballenas,
¿no? ¡Pues claro, es que son dos animales distintos!
—dije—. Y como experto en el tema, seguro que conoces
a Bubi, el famoso pez-ballena, ¿verdad?

Dani dijo que no con la cabeza.

—Bubi es un pez-ballena que canta, ¡y lo hace fenomenal!
—le expliqué—. ¡Es la estrella pop de los mares! Hasta
ha participado en el concurso *Operación Acuatriunfo...*

—Entonces... ¿ha salido por la tele? —preguntó Dani,
que no se lo terminaba de creer.

—No solo eso... ¡Ha ganado
el concurso! —respondí yo—.
El premio eran varios camiones
llenos de comida para
peces-ballena. Una pena...

—¿Pena? ¿Por qué?

—Se dio tal atracón que tuvieron
que llevarlo pitando al hospital.

—¿Y se curó? —quiso saber Dani.

—Sí, él sí…, ¡pero entonces fue el director del hospital
quien se puso enfermo! Le dio un patatús al ver la factura
del agua… Bubi necesitaba que su
habitación estuviera siempre inundada,
¿sabes? Eso sí: para compensar el gasto, se ha ofrecido
a dar un concierto a favor del hospital.

—¡Qué buena idea! —exclamó Dani.

—Bueno, sí y no… —respondí yo—. El director del hospital
no quiere perderse el acontecimiento por nada del mundo,
pero tiene un problema gordísimo: ¡no sabe nadar,
y el concierto se celebrará en el Mar del Norte, que tiene
una acústica estupenda! Al final, el director ha decidido
apuntarse a clases de natación…

—¡Genial! —saltó Dani, y después de pensárselo
un segundo, añadió—: Mamá, ¿me llevas a la piscina?
¡Quiero aprender a nadar como un pez-ballena!
Yo sonreí. Después de todo, podría pasar una tarde
tranquila…

¡Que os divirtáis leyendo!
Os lo desea vuestra amiga,

Kika Superbruja

¿Cómo viven los delfines?

¿Qué son esas elegantes figuras que asoman entre las aguas del mar? ¡Delfines! ¡Y menudos saltos dan! Seguro que has visto imágenes suyas en la tele.

A todos nos encantan los delfines, y no solo gracias a la serie de televisión *Flipper...* Son unos animales muy inteligentes, y también solidarios. Cuando uno de ellos está herido, sus compañeros lo empujan hacia la superficie del agua para que pueda respirar. En ocasiones, hasta han ayudado a personas que han sufrido un naufragio.

Escuela de delfines

¡Nada de estudiar y hacer deberes! Una «escuela de delfines» es un grupo formado por cientos de estos animales. Cada uno de ellos ocupa un rango determinado y debe obedecer a los delfines de rangos superiores al suyo.

Los papás-delfines llevan a sus bebés hasta la superficie del agua para que puedan respirar.

¿Como pez en el agua?

¡Pues no, porque los delfines no son peces!
Son mamíferos, y junto con las ballenas,
pertenecen al orden de los cetáceos.
No tienen branquias como los peces,
sino pulmones, como nosotros. No pueden respirar
bajo el agua, y por eso tienen que salir regularmente
a la superficie para coger aire. Respiran por un orificio
que tienen en la zona superior de la cabeza.

En la barriga de mamá

Las crías de delfín no salen de un huevo, como las de los peces. Salen directamente del cuerpo de sus madres y se alimentan de su leche.

La cola de los delfines se llama «aleta caudal», y les sirve para impulsarse en el agua.

¿Has leído con atención?

¿Qué es una escuela de delfines?

a) Una familia en la que la mamá-delfín enseña a nadar a sus crías.
b) Un grupo de delfines en el que cada uno tiene un rango determinado.
c) Un colegio en el que los niños aprenden el lenguaje de los delfines.

11

¿Cómo perciben el mundo los delfines?

**¿Cómo hablan los delfines?
¿Guiñando los ojos?
¿Moviendo las aletas?
¡Qué va! Los delfines emiten
sonidos para comunicarse
entre ellos.**

El lenguaje de los delfines está compuesto por distintos tipos de chasquidos, y los investigadores han descubierto que estos animales pueden intercambiar mensajes bastante complejos.

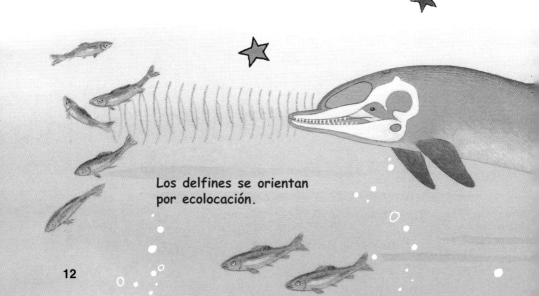

Los delfines se orientan
por ecolocación.

A toda onda

Los delfines emplean un sistema de orientación muy parecido al de los murciélagos: la ecolocación. Emiten unos ultrasonidos que los humanos no podemos escuchar, y las ondas de esos ultrasonidos rebotan en las rocas o en otros animales. Así, los delfines se hacen una idea de a qué distancia están esas rocas o animales.

El melón

La ecolocación funciona gracias a un órgano que los delfines tienen en la cabeza: el melón. Es un cojín de grasa situado en una cavidad detrás de su frente, y que probablemente concentra los ultrasonidos antes de emitirlos.

A ciegas

Los delfines no se guían por sus ojos. De hecho, las especies de río tienen una vista bastante mala. Además, el agua de los ríos suele estar tan turbia que serían incapaces de ver a distancia.

El delfín de río chino

Vive en los ríos de China, como el Yangtze. Cuenta la leyenda que es la reencarnación de una princesa que murió ahogada. Es la especie de delfín que corre mayor peligro de extinción.

El delfín del río Amazonas

A diferencia de otros delfines de río, que son casi ciegos, este ve relativamente bien. A menudo saca la cabeza del agua para ver pasar los barcos.

El delfín del río Ganges

Este delfín nada de lado y solo se pone derecho para salir a respirar. También corre peligro de extinguirse.

Delfín de río chino

Delfín del río Ganges

El río Ganges está en la India, y el río Amazonas, en América del Sur.

14

Delfín del río
Amazonas

Kika y el mapa
del tesoro

Kika recibe en la Atlántida*
un mapa del tesoro.
¡Ayúdala a descifrarlo!

Nada hasta la gran roca
 m hacia el sur.

Nada 🐚 m hacia
el norte

y 🐚 m hacia el este.

Verás un barco hundido
de 🐚 🐚 escotillas.
Dentro hay
un cofre del tesoro
con 🤿 🐚 🪝
monedas de oro.

Esto es lo que significan los símbo-
los:

$$\searrow + \searrow = 2$$
$$\text{⬭} - \text{🐚} = 6$$
$$8 - \text{🐚} = 3$$

$$\searrow + \text{🐚} = 4$$
$$\text{🤿} + \searrow = \text{🐚}$$

*Kika viaja a la Atlántida en el libro
Kika Superbruja y la ciudad sumergida,
el n.º 8 de la colección
«Kika Superbruja».

¿Qué especies de delfines existen hoy?

¡Hay delfines por todo el mundo! Podemos encontrarlos en todos los mares (menos en las heladas aguas del Ártico), y también en algunos ríos. En la actualidad, conocemos más de 30 especies vivas de delfines.

Aquí descubrirás algunas:

El delfín común

Es una de las especies más conocidas, y tiene dos variantes: la de hocico largo y la de hocico corto. Vive en todos los mares del mundo, menos en las regiones polares.

Además de muy inteligente, el delfín mular es el que solemos ver en las atracciones de los acuarios.

Delfín mular

El delfín mular

También conocido como «delfín nariz de botella»,
es muy sociable y se atreve a nadar cerca de los barcos.
Puede medir casi 4 m de largo y pesar hasta 500 kg.

El delfín pío

También llamado «delfín de Commerson», es el delfín
más pequeño: 1,60 m de largo. Es de color negro y blanco
y vive en las aguas de Sudamérica.

El delfín listado

Llega a medir hasta 2,50 m de largo y vive en grandes
familias en la mayoría de los mares templados del mundo.

Delfín común

Delfín pío

Delfín listado

El delfín del Antártico

También llamado «delfín reloj de arena» porque sus colores negro y blanco forman un dibujo parecido a esos relojes.

El delfín de hocico blanco

Es la única especie de delfín del Atlántico Norte.
Le atraen mucho los barcos y a veces salta del agua para hacer espectaculares acrobacias.

El delfín oscuro

Su color va del gris oscuro al negro azulado.
Vive en el hemisferio sur.

Delfín del Antártico

Delfín de hocico blanco

Los primeros balleneros llamaron «mofeta marina» al delfín del Antártico porque ambos animales tienen una combinación muy parecida de franjas blancas y negras en los costados.

Delfín oscuro

¡Cuenta las monedas de oro!

Kika ha encontrado varios cofres del tesoro. En dos de ellos hay el mismo número de monedas de oro. ¡Descúbrelos!

1

12+9

2

45:9

3

3·7

4

56-24

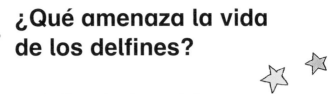

¿Qué amenaza la vida de los delfines?

El delfín salta fuera del agua, atraviesa el aro que sujeta su entrenador y el público aplaude entusiasmado... ¿Son felices los delfines viviendo en los acuarios?

El delfín mular es la especie preferida de los delfinarios, ya que se adapta bien a los cuidados del hombre.

¡Menudo circo!

Un delfinario es como un circo de agua. Los delfines que viven en cautividad aprenden trucos de sus entrenadores y después los representan ante el público. Como son animales muy inteligentes, aprenden rápido. Pero el cautiverio no les sienta bien y muchos llegan a morir… Esa es la razón por la que siguen capturándose delfines.

¡FLIPPER LIBRE!

Atrapados en la red

Cuando se pescan atunes, es muy fácil cazar delfines
sin querer. La ecolocación no les sirve para detectar
las resistentes redes que utilizan los pescadores,
así que los delfines quedan atrapados en ellas y, al final,
se ahogan. Solo en el Pacífico, cada año mueren
al menos 100 000 delfines por la pesca de atunes.

Aunque nadie quiera cazarlos,
los delfines corren el peligro
de quedar atrapados en las
redes de pesca.

Atún

Delfín

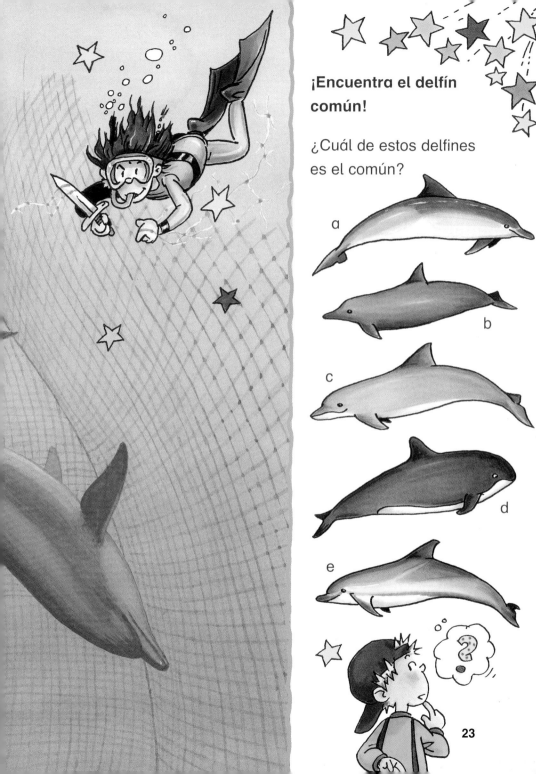

¡Encuentra el delfín común!

¿Cuál de estos delfines es el común?

a

b

c

d

e

23

¿Qué sabes sobre las ballenas?

¡Son grandes, enormes, gigantescas! En la actualidad, las ballenas son los animales más grandes del planeta.

En el pasado, los marineros contaban historias terribles sobre estos impresionantes mamíferos, pero las ballenas no son monstruos feroces, ¡ni mucho menos!

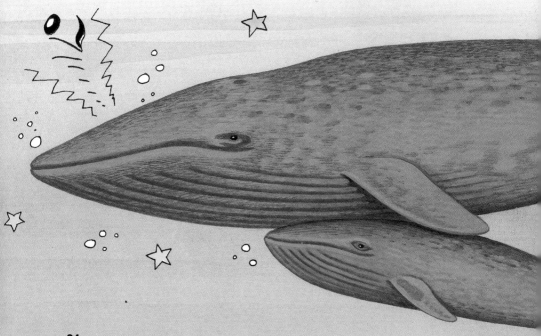

El gigante de los mares

El mayor animal del planeta es la ballena azul.
Con un corazón tan grande como un coche,
¡pesa lo mismo que 30 elefantes juntos
y puede medir hasta 33 m!

A voces bajo el agua

La azul no es solo la mayor ballena de todas, sino también
una de las más escandalosas: su voz es más ruidosa
que un avión de reacción, aunque solo se oye bajo
el agua (eso sí, a cientos de kilómetros
de distancia). Así es como las ballenas
se comunican entre ellas.

La ballena azul es un animal
solitario. Como mucho,
vive en grupos madre-cría.

Al nacer, las crías de ballena azul pesan tanto como 2 ó 3 coches.

¿Pez o mamífero?

Las ballenas son mamíferos, igual que los delfines.
Las crías salen directamente de la barriga de sus madres
y se alimentan de su leche. No tienen branquias,
sino pulmones, y deben salir a la superficie del agua
para respirar.

¿Sobre qué animal marino cabalga Kika en el libro *Kika Superbruja y la ciudad sumergida?*

a) Un delfín.
b) Un caballito de mar.
c) Un cachalote.

Crías gigantescas

Al nacer, las crías de ballena azul miden de 7 a 8 m y pesan de 2 a 3 toneladas. Estas «pequeñinas» toman unos 200 litros de leche materna al día.

¿Cómo viven las ballenas?

¡A las ballenas les encanta viajar! Estos colosos surcan los mares del mundo recorriendo largas distancias.

Las ballenas viajan en busca de comida. Durante el verano se alimentan en los mares polares y desarrollan una gruesa capa de grasa. Como allí las aguas son muy frías, las ballenas emigran a regiones más cálidas para aparearse y dar a luz a sus crías. Cuando se reduce su capa de grasa, se desplazan de nuevo hacia el norte. Las ballenas grises recorren distancias que superan los 10 000 km, ¡todo un récord para un mamífero!

¡Por allí resopla!

Las ballenas no tienen orificios nasales en la cara, sino en la parte superior cabeza. Así, para respirar solo necesitan asomarla fuera del agua. Las ballenas expulsan el aire por ese mismo orificio, lanzando un chorro de agua a presión: el resoplido. Se pueden identificar distintas especies de ballena por sus resoplidos característicos.

¿Gelatina en la cabeza?

Los cachalotes tienen una especie de cera líquida llamada «espermaceti» en el interior de la cabeza, que antes se valoraba mucho para fabricar velas y en la industria cosmética. Los cachalotes pueden calentar o enfriar esta sustancia según les conviene. Cuanto más se enfría el espermaceti, más pesa, así que, cuando el cachalote quiere sumergirse, se «refresca» la cabeza.
Así, el espermaceti se vuelve pesado y tira de su cuerpo hacia abajo.

Cuando el cachalote quiere ascender a la superficie del agua, calienta su cabeza para que el espermaceti se haga más ligero.

29

Aquí descubrirás algunas especies de ballenas:

La beluga
Mide de 4 a 5 m de longitud y se vuelve completamente
blanca al llegar a la edad adulta.

La marsopa común
¡Es todo lo contrario a un gigante
de los mares! La marsopa común, que vive
en el Mar del Norte, solo llega a medir
1,80 m de largo.

El cachalote
Este gigantón de más de 18 m de longitud tiene el récord
de buceo: puede descender hasta 1 000 m de profundidad
y permanecer más de dos horas bajo el agua sin salir
a respirar.

En la actualidad hay unas 80 especies de ballenas diferentes.

Beluga

Marsopa común

Cachalote

Falsa ballena

¿Cuál de estas ballenas no existe?

a) La azul.
b) La gris.
c) La verde.

a

b

c

¿Cómo se dividen las ballenas?

Los biólogos dividen a estos gigantes en dos grandes grupos: el de las ballenas dentadas y el de las ballenas barbadas.

La diferencia está en la dentadura. Algunas ballenas tienen dientes y otras no. Todavía hoy, los científicos se preguntan si ambos grupos están emparentados de verdad o si simplemente guardan cierto parecido.

Por sus dientes las conoceréis

Las ballenas dentadas cazan peces y calamares
con ayuda de sus dientes de mamífero.
El cachalote, por ejemplo, es una ballena
dentada.

¡Menudas barbas!

Las ballenas barbadas, por el contrario, no tienen dientes,
sino unas resistentes láminas llamadas «barbas»
que cuelgan de su paladar y que están algo deshilachadas
por abajo. Las ballenas filtran el agua a través de estas
láminas para absorber el krill, que es como se llama
a los pequeños crustáceos de los que se alimentan.
La azul es una ballena barbada, ¡y puede engullir
más de 5 toneladas de krill al día!

Las ballenas barbadas se alimentan
básicamente de krill, aunque algunas
también comen peces y calamares.

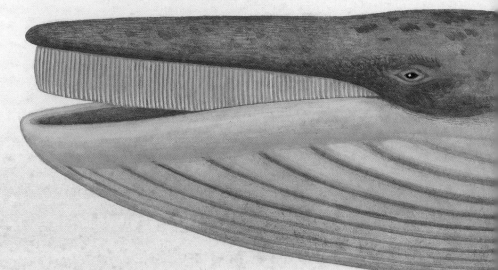

Demasiado grandes para el enemigo

Las ballenas barbadas no tienen dientes para defenderse, pero a cambio… ¡son enormes! Sin embargo, hay una excepción: la ballena enana (también llamada «rorcual aliblanco») solo mide entre 7 y 9 m.

Ballena enana

La jorobada y la gris son ballenas barbadas.

Barbada, pero poco

La gris es una ballena barbada, pero las barbas con las que filtra su comida son más cortas que las del resto de ballenas.

Ballena jorobada

Ballena gris

¡Encuentra la pareja!

Dos de estas ballenas son iguales. ¿Cuáles?

a

b

c

d

e

f

¿Qué especies de ballenas conoces?

Primero habrás pensado en la ballena azul, el animal más grande del mundo. Pero, además, hay otras muchas especies...

Aquí verás unos cuantos de estos fascinantes mamíferos marinos:

La ballena gris

El chorro de agua que despide la ballena gris cuando resopla puede alcanzar una altura de 3 a 4,5 m. Cuando este chorro se mira de frente o por detrás, tiene la forma de un corazón.

La ballena jorobada

Aunque puede llegar a medir más de 17 m de largo
y pesar unas 40 toneladas, la ballena jorobada (también
llamada «yubarta») es capaz de dar grandes saltos por
encima del agua. Cuando encuentra un banco de peces,
expulsa aire por la boca para crear una especie de cortina
de burbujas con la que los despista para capturarlos.
El canto de la ballena jorobada parece una melodía,
incluso para el oído humano. Es posible que cante
para cortejar a su pareja, o puede que las madres utilicen
esos sonidos para localizar a sus crías.
Estas ballenas pueden comunicarse a más de 30 km
de distancia.

Al saltar, la ballena
jorobada se retuerce
en el aire y aterriza
sobre su espalda.

El rorcual

Los rorcuales tienen muchos pliegues en la barriga. La azul, la enana y la jorobada pertenecen a este género de ballenas.

El narval

Antiguamente se cazaban narvales macho por su valioso colmillo, que se usaba en medicina. Hoy está prohibido capturarlos.

La orca

También conocida como «ballena asesina» porque devora peces, pingüinos, focas, leones marinos e incluso otras ballenas.

La ballena franca

La fama de esta ballena
es bastante triste.
Como nada muy despacio
y al morir flota
en la superficie del agua,
era muy fácil de cazar
para los balleneros.

Hay ballenas de todos
los tamaños: desde
la gigantesca azul
a la ballena enana.

¿Qué cabeza
es la de la ballena
gris?

a

b

c

d

39

¿Qué peligros corren las ballenas?

Corsés para las damas, jabón, aceite para lámparas…: antes se fabricaba todo esto y mucho más con las barbas y la grasa de las ballenas.

Además, su carne también se podía comer. Por todo ello, su caza se extendió a partir del siglo XIX. Las descuartizaban y aprovechaban sus dientes, sus barbas, su piel o su grasa. En 1920 se estimaba que el número de ballenas azules era de 230 000 ejemplares, y hoy ya solo quedan unas 13 000.

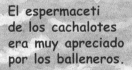

El espermaceti de los cachalotes era muy apreciado por los balleneros.

¡Prohibido cazar ballenas!

Desde mediados del siglo xx existen
tratados internacionales que prohíben
la caza de ballenas o, al menos,
la limitan para evitar que se extingan.
Muchos de los productos que antes
se obtenían de las ballenas, hoy
pueden fabricarse industrialmente.
Aun así, en algunos países
se siguen cazando ballenas.

¡Salvemos la ballena azul!

En 1966, la ballena azul fue declarada especie
protegida. Sin embargo, para entonces,
ya se había cazado más de un tercio
del millón de ballenas azules
que había 100 años antes.

Amenazas actuales

Aunque se haya reducido su captura, las ballenas continúan en peligro de extinción. Por ejemplo, los pescadores limitan sus fuentes de alimento al arrebatarles sus presas naturales (peces, crustáceos…). Además, muchas ballenas mueren al quedar atrapadas en las grandes redes de pesca.

¿Pueden morir ahogadas las ballenas?

Las ballenas pueden sumergirse a grandes profundidades y aguantar mucho tiempo bajo el agua sin respirar. Pero como son mamíferos con pulmones, tienen que salir regularmente a la superficie para coger aire. Si algo se lo impide, corren peligro de morir ahogadas.

Antes también se cazaban narvales. ¡Se creía que su colmillo tenía propiedades casi mágicas!

¿Qué amenaza hoy a las ballenas?

a) Los tiburones.

b) Los volcanes.

c) La pesca.

Kika cuenta la historia...
¡en broma!

**Kika le cuenta a Dani todo
lo que sabe de los delfines
y las ballenas... ¡y aprovecha
para inventarse algunas
cosillas! ¿Sabrías decir tú qué
es verdad y qué es inventado
en esta historia?**

Las ballenas están entre los animales más grandes
del planeta, y la ballena azul es el mayor de todos...
¡Pesa lo mismo que un elefante!
Las ballenas y los delfines son peces. Ponen sus huevos
en témpanos de hielo y dejan que los incuben los pingüinos.

A la semana de salir del huevo, las crías de delfín
miden 7 m de largo. Después de nacer, las mamás
ballena y las mamás delfín amamantan a sus crías.
Después, los bebés van a la escuela de delfines.
Allí aprenden a nadar y ensayan cantos de ballena.

⋆ Soluciones

- Página 11: Solución **b.**
- Página 15: 149 m, 3 m, 5 m, 53 escotillas, 951 monedas de oro.
- Página 19: Soluciones **1** y **3.**
- Página 23: Solución **a.**
- Página 27: Solución **b.**
- Página 31: Solución **c.**
- Página 35: Soluciones **a** y **f.**
- Páginas 39 y 43: Solución **c.**

- Páginas 44 y 45: Es cierto que entre las ballenas están los animales más grandes del mundo, y también que la ballena azul es el mayor de todos, pero no pesa lo mismo que un elefante, ¡sino lo que 30 elefantes! Las ballenas y los delfines no son peces, sino mamíferos. Por eso, sus madres no ponen huevos. Las crías salen directamente de la barriga de sus madres y se alimentan de su leche. Por supuesto, no miden 7 m de largo. Una escuela de delfines no es como las nuestras, sino un grupo de cientos de delfines en el que cada uno tiene un determinado rango.

Índice

¡Diviértete con Kika Superbruja!

Colección «Todo sobre...»
1. Todo sobre los piratas
2. Todo sobre los dinosaurios
3. Todo sobre los antiguos egipcios
4. Todo sobre los caballeros
5. Todo sobre los delfines y las ballenas
6. Todo sobre los caballos

Colección «Kika Superbruja y Dani»
1. Kika embruja los deberes
2. El cumple de Dani
3. El vampiro del diente flojo
4. El loco caballero
5. El dinosaurio salvaje
6. La gran aventura de Colón
7. El partido de fútbol embrujado
8. El hechizo fantasma
9. Un pirata en la bañera
10. Un osito en la nevera

(TAMBIÉN EN CATALÁN Y EUSKERA).

Colección «Kika Superwitch & Dani»
1. Kika Superwitch & Dani - Magic Homework
2. Kika Superwitch & Dani And the Wild Dinosaurs
3. Kika Superwitch & Dani And The Birthday Party

Colección «Kika Superwitch»
1. Kika Superwitch-Trouble at School
2. Kika Superwitch at Vampire Castle

Especiales Kika
Especial cumpleaños
Especial Navidad
Libro de magia
El mundo de Kika
Kika Superbruja y el libro de hechizos
     (EDICIÓN ESPECIAL CON FOTOS
     DE LA PELÍCULA)
Kika Superbruja y el libro de hechizos
     (ÁLBUM DE LA PELÍCULA)
Kika Superbruja y el libro de hechizos
     (ÁLBUM DE CROMOS DE LA PELÍCULA)

Colección «Kika Superbruja»
1. Kika Superbruja, detective
2. Kika Superbruja y los piratas
3. Kika Superbruja y los indios
4. Kika Superbruja revoluciona la clase
5. Kika Superbruja, loca por el fútbol
6. Kika Superbruja y la magia del circo
7. Kika Superbruja y la momia
8. Kika Superbruja y la ciudad sumergida
9. Kika Superbruja y la espada mágica
10. Kika Superbruja en el castillo de Drácula
11. Kika Superbruja en busca del tesoro
12. Kika Superbruja y don Quijote
     de la Mancha
13. Kika Superbruja en el Salvaje Oeste
14. Kika Superbruja y el hechizo de la Navidad
15. Kika Superbruja y los vikingos
16. Kika Superbruja y los dinosaurios
17. Kika Superbruja y sus bromas mágicas
18. Kika Superbruja y la aventura espacial
19. Kika Superbruja en el país de Liliput
Agenda Escolar Kika Superbruja
Calendario Kika Superbruja

(TAMBIÉN EN CATALÁN, GALLEGO Y EUSKERA).

Mi diario secreto
Mi @genda
Correo mágico

(TAMBIÉN EN CATALÁN).

Colección «Vacaciones con Kika»
Repasa 1.° y prepara 2.°
Repasa 2.° y prepara 3.°
Repasa 3.° y prepara 4.°
Repasa 4.° y prepara 5.°
Repasa 5.° y prepara 6.°
Repasa 6.°